絵本 すみっコぐらし
そらいろのまいにち

今日も どこかの

すみっこで

ひっそり くらす

なかまたち

すみっコたちの

それぞれの おはなし

はじまり はじまり

ねこのおはなし

ねこ

はずかしがりやで
気が 弱くて
やさしい ねこ

どうぞ　どうぞと
すみっこを　なかまに　ゆずる　ねこ
だけど　やっぱり　すみっこに　いたい
それは　たとえば　こんなとき

すみっこにいたくなるとき

まちがえたとき

みられたとき

ふえたとき

いえなかったとき

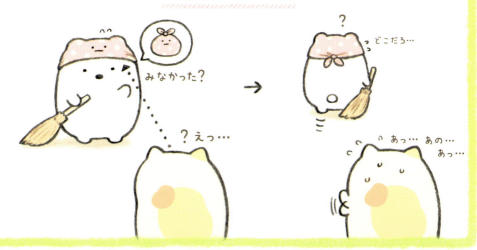

あー
はずかしい
はずかしい

りそうの　すがたに
りそうの　自分に
かわれないままで
おちこむ　ねこ

ゆうやけ空(そら)の こんな日(ひ)に
おもいだすのは あの日(ひ)のころ

ねこが まだ こねこのころ

くいしんぼうな　わがままこねこは
もらった　ごはんを　ひとりじめ

いつのまにか　ふっくらこねこ

きょうだいたちは
もらわれて

ねこは りっぱな のらねこに

はずかしがりやの のらねこに

かえたい 自分
かわらない 毎日

いつか なにか かわるかな

うでたて

ふっきん

ほっそりねこに　かわれたら
きっと　なにか　かわるかな

きゅうけい

ばんごはんの いいにおい
おなか ぺこぺこ ゆうやけ空(そら)

明日(あした)は なにか かわるかな

え・・・・・?

わけてもらった おにぎりは

ねこは いつか かわりたい
やさしい やさしい

みんな みたいに

とんかつと
えびふらいのしっぽの
おはなし

おさらの
すみっこ
とびだして

にげろ
にげろ

ここに いたら
すてられちゃう？

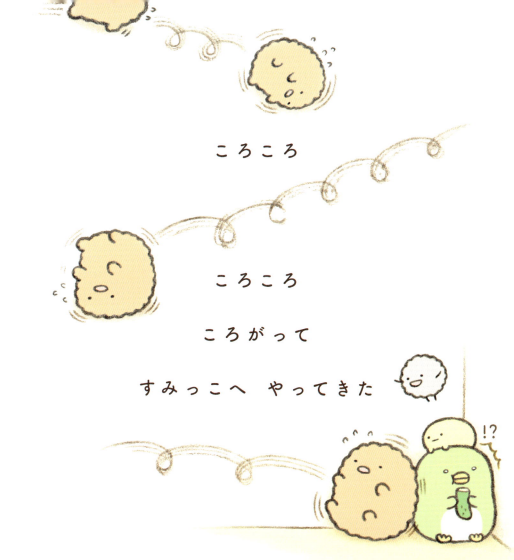

の　しっぽ

かたいから

のこされちゃった・・・

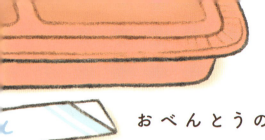

おべんとうの すみっこ
とびだして

どうしよ どうしよ
ここに いたら すてられちゃう？

とことこ

とことこ

かけてって

すみっこへ やってきた

とんかつと

えびふらいのしっぽが

すみっこで 出会った

いつか きっと たべられたい
あげもの のこりもの にたものどうし
ふたり いっしょに がんばれば
いつか きっと たべてもらえる？

もっと がんばって
もっと おいしく？

もっと おおきく？

もっと かわいく?
もっと かっこよく?

もっと あまく? からく? しょっぱく?

もっと もっと・・・

いつも がんばる あげものコンビ
今日は どんより じめじめ空
こころも ころもも
ちょっぴり じめじめ

きっと おいしく
たべてもらえる

あのとき そう
おもったのに

たべものは　たべるもの
たべられなかったら　なんのもの？
のこりものは　なんのため？

こそこそこそ・・・
すみっコたちが
そうだんちゅう

なにか しようと
している みたい

さあ さあ こっち こっち

こちらへ どうぞ

本日の オススメは・・・

はい できた！
スペシャルとんえびランチです

たべもの だから
やっぱり いつか たべられたい

でも のこされたから
出会(であ)えた みんな

空（そら）は カラッと
すっかり 青空（あおぞら）

あげものたちも
カラッとが いちばん！

とかげのおはなし

とかげ

じつは きょうりゅうの
生きのこり つかまって
しまうので とかげのふり
みんなには ひみつ
おかあさんに 会いたい

うそを ついて ごめんなさい
とかげは じつは きょうりゅうのコ

にせつむり

じつは カラを
かぶった なめくじ

みんなには ひみつ

とかげ（本物）

みんなには ひみつ・・・

おとなに なったら こ〜んなに おおきく

・・・は　ならないけれど・・・

・・・って　することも　ないけれど
じつは　きょうりゅう

うそを つくのは わるいこと？

うそつきは わるいコ・・・？

そんな 夜(よる)は
ひみつの ばしょへ

あの日と おなじ
きらきら 夜空
おかあさんも
みてるかな

いいこ
いいこ

すや すや すや

とかげの おうち は 森のなか
きょうりゅうの なかま は いないけど

森の なかまが いっぱい いるから
だいじょうぶ

おはなを つんで おさかな もって
もうひとつの おうちへ いってきます
ひっそり くらせる おちつく おうち

おかあさん
あんしんしてね うそつき だけど
いいこに してるよ
おちつく おうちが ふたつも あるから
だいじょうぶ

ただいま

おかえり

しろくまのおはなし

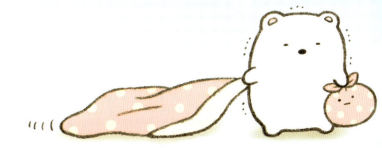

しろくま

北(きた)から にげてきた
さむがりの しろくま

ふろしき

しろくまの
だいじなもの

しろくまは　かんがえる

もっと　もっと

ぽかぽかに　なれないか

たとえば こうして

ぽかぽかグッズを
いっぱい つくって

ぶる ぶる ぶる

うまれた ときから
さむがりの しろくま

いつも おなじ

まっしろな けしき

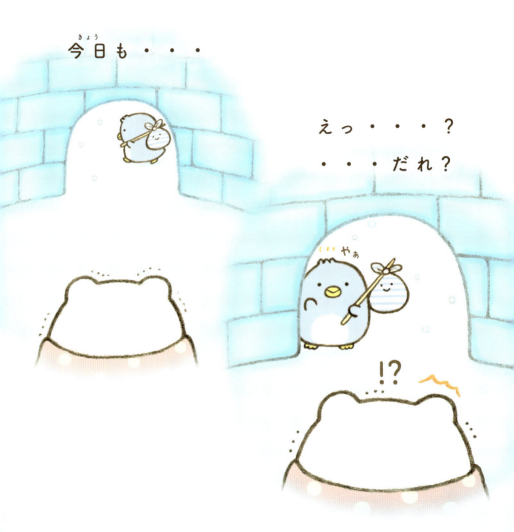

たずねてきたのは 旅する ぺんぎん

もっと ずっと 南に いけば

ぽかぽかの海が
あるんだって

なかよくなった ぺんぎんは

　　　　　また つぎの 旅へ・・・

ぺんぎんの はなしが
わすれられない しろくまは

まっしろ 雪空 こごえる日

ぽかぽかの海 めざして 出発

まだ さむい

まだまだ さむい

ひとりぼっちの
ながい旅

いつのまにか たどりついた
どこかの すみっこ

ちょっと ここで
ひとやすみ

なんだか おちつく
ふしぎな ばしょ

…!?

そこには・・・

ぺん・・・ぎん・・・？

すみっこで くらす すみっコたちと

すみっコぐらしの はじまりの日

ここは すみっこ
ぽかぽかの海
じゃないけれど

なんだか とっても
ぽかぽかの ばしょ

ぺんぎん？のおはなし

ぺんぎん？

自分は ぺんぎん？
自信が ない

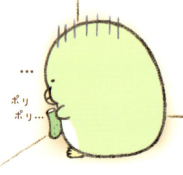

...
ポリ
ポリ...

いつでも どこでも
自分(じぶん)を さがす

いつか みつかる？
みどりの ぺんぎん

ちがう ちがう
これも ちがう？

おなじ なかま みつからない

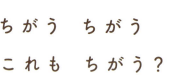

今日も やっぱり みつからない

すみっこ ちらかり しろくま ぷんぷん

ぺんぎん？も ぷんぷん

いちばん とおい ぺんぎん？の きおく
ここは どこ？ 自分(じぶん)は なに？
ある日(ひ) なんにも わからなかった

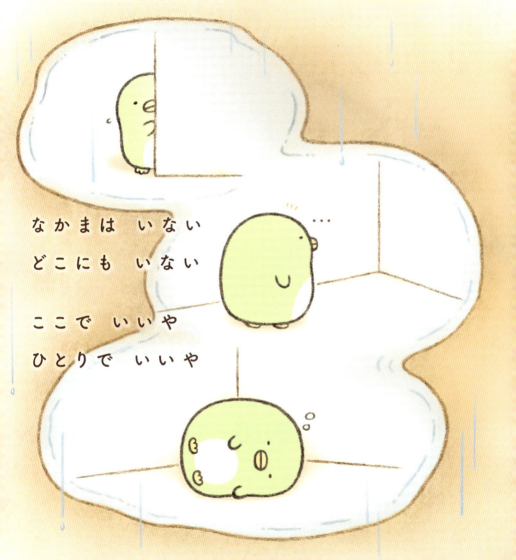

ひとりのはずが

あつまってきた

みんな ちがうけど みんな おなじ

なかまって なんだろう？
色(いろ)と 形(かたち)が おなじなら
おなじ なかま？
色(いろ)と 形(かたち)が ちがっても
おなじ なかま？

たくさんの 色(いろ)が あつまって
色(いろ)とりどりの ひとつの 虹(にじ)

いつか みつかる？ みどりの ぺんぎん

いつか もし おなじ なかま みつかったら

こんな かんじ

なのかなぁ？

自分は ぺんぎん？
自信は ないけど

今日は ぐっすり
おやすみっコ

いつも おなじ 空(そら)

いつも ちがう 色(いろ)

いつも おなじ なかま

いつも ちがう 毎日(まいにち)

いつもの　なかまと

いつもの　すみっこで

今日(きょう)も　明日(あした)も

そらいろのまいにち

すみっコぐらしのなかまたち

ざっそう
いつかあこがれの
お花屋さんでブーケに
してもらう!という夢を
持つポジティブな草。

← なかよし →

りそうのすがた

ねこ
はずかしがりやで
体型を気にしている。
気が弱く、よくすみっこを
ゆずってしまう。

↕ ポジティブコンビ

ほこり

すみっこによくたまる
のうてんきなやつら。
たくさんいる。

おばけ

屋根裏のすみっこに
すんでいる。
こわがられたくないので
ひっそりとしている。
そうじが好き。

ばしょとり中

← だいじ

ふろしき
しろくまのにもつ。
すみっこのばしょとりや
さむい時に使われる。

↕ なかよし

しろくま
北からにげてきた、
さむがりでひとみしりのくま。
あったかいお茶をすみっこで
のんでいる時がいちばんおちつく。

→ よくすみっこを
うばいあって
けんかする ←

昔こんなかんじ
だったような…?

ぺんぎん(本物)
しろくまが北にいたころに
出会ったともだち。
とおい南からやってきて
世界中を旅している。

ぺんぎん?
自分はぺんぎん?自信がない。
昔はあたまにお皿があったような…
きゅうりが大好物。

なかよし
あげものコンビ

えびふらいの
しっぽ

かたいから
食べのこされた。
とんかつとは
こころつうじる友。

もとのすがた

とんかつ

とんかつのはじっこ。
おにく1％、しぼう99％。
あぶらっぽいから
のこされちゃった…

たぴおか

ミルクティーだけ
先にのまれて
吸いにくいから
のこされてしまった。

のこりもの
なかま

ついばむ

すずめ

ただのすずめ。
とんかつを気に入って
ついばみにくる。

ふくろう

夜行性だけど
なかよしのすずめに
合わせてがんばって
昼間に起きている。

おかあさん

なかよし

ひみつをもつ
なかま

とかげ

じつはきょうりゅうの生きのこり。
つかまっちゃうのでとかげのふり。
みんなにはひみつ。
ひみつを知っているのは
にせつむりだけ。

にせつむり

じつはかたつむりにあこがれて
カラをかぶったなめくじ。
うそをついてうしろめたい…
すみっこたちには
なめくじだとバレている。

とかげ（本物）

とかげのともだち。
森でくらしている本物の
とかげ。細かいことは
気にしないのんきな性格。

もぐら

地下のすみっこでくらしていた。
上がさわがしくて気になり
地上に出てきた。

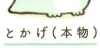

にたものどうし

きのこ

森でくらしているきのこ。
じつはカサが小さいのを
気にしていて大きいのを
かぶっている。

絵と文　よこみぞゆり

編集人　芦川明代
発行人　倉次辰男
発行所　株式会社主婦と生活社

〒104-8357　東京都中央区京橋3-5-7

編　集　03-3563-5133
販　売　03-3563-5121
生　産　03-3563-5125

ホームページ　https://www.shufu.co.jp/
印刷・製本　図書印刷株式会社
SAN-X ホームページ　https://www.san-x.co.jp/

協力

桐野朋子　ありんこ　しろいおもち

©2018 San-X Co., Ltd. All Rights Reserved.
Printed in JAPAN　ISBN978-4-391-15150-3

●落丁・乱丁はお取り替えいたします。お買い求めの書店か、小社生産部までご連絡ください。
●R本書を無断で複写複製（電子化を含む）することは、著作権法上の例外を除き、禁じられています。本書をコピーされる場合は、事前に日本複製権センター（JRRC）の許諾を受けてください。また、本書を代行業者等の第三者に依頼してスキャンやデジタル化することは、たとえ個人や家庭内の利用であっても一切認められておりません。
※JRRC（https://jrrc.or.jp/　eメール:jrrc_info@jrrc.or.jp　☎03-6809-1281）